KU-177-950

An Meaisín Ama

Máire Ní Ghallchobhair

Peter Donnelly a mhaisigh

'Fir throda a bhí sna Gaeil fadó,' arsa an Mháistreás le rang Jeaic lá amháin.

Chroch sí pictiúr de sheanlaoch Gaelach ar an mballa. Bhreathnaigh Jeaic ar na hairm a bhí ag na fir throda agus ar na carbaid a bhí acu.

'Ba bhreá liomsa a bheith i mo laoch Gaelach,' ar seisean.

Suas le Jeaic go dtí a sheomra codlata nuair a tháinig sé abhaile ón scoil. Lean a mhadra Lúlú é.

'Táimse chun meaisín ama a dhéanamh, a Lúlú,' arsa Jeaic. 'Beidh mé in ann an t-am a chasadh siar agus bualadh leis na sean-Ghaeil.'

Leis sin
tháinig Mamaí
isteach sa seomra.

'Níl cead agatsa a
bheith istigh sa teach,
a Lúlú,' a bhéic sí.
'Amach leat go beo!'

Bhí Mamaí i gcónaí ag tabhairt amach
do Lúlú.

Thosaigh Jeaic ag obair ar an meaisín ama. Bhí Jeaic i gcónaí ag déanamh meaisíní. Uair amháin rinne sé meaisín chun gruaig a chur ag fás. Bhí Daidí maol.

Chuir Daidí a chloigeann isteach sa mheaisín. D'fhás gruaig fhada air.

'Táimse cosúil le rac-amhránaí!' arsa Daidí, nuair a bhreathnaigh sé sa scáthán.

Sháigh Mamaí a cloigeann isteach sa mheaisín.

D'fhás gruaig ar Mhamaí freisin. Ach ní ar a cloigeann a d'fhás an ghruaig. D'fhás croiméal breá fada uirthi!

Phléasc Daidí agus Jeaic amach ag gáire.

'Breathnaíonn tú cosúil le huncail Séamas,' arsa Jeaic, agus thóg sé grianghraf di.

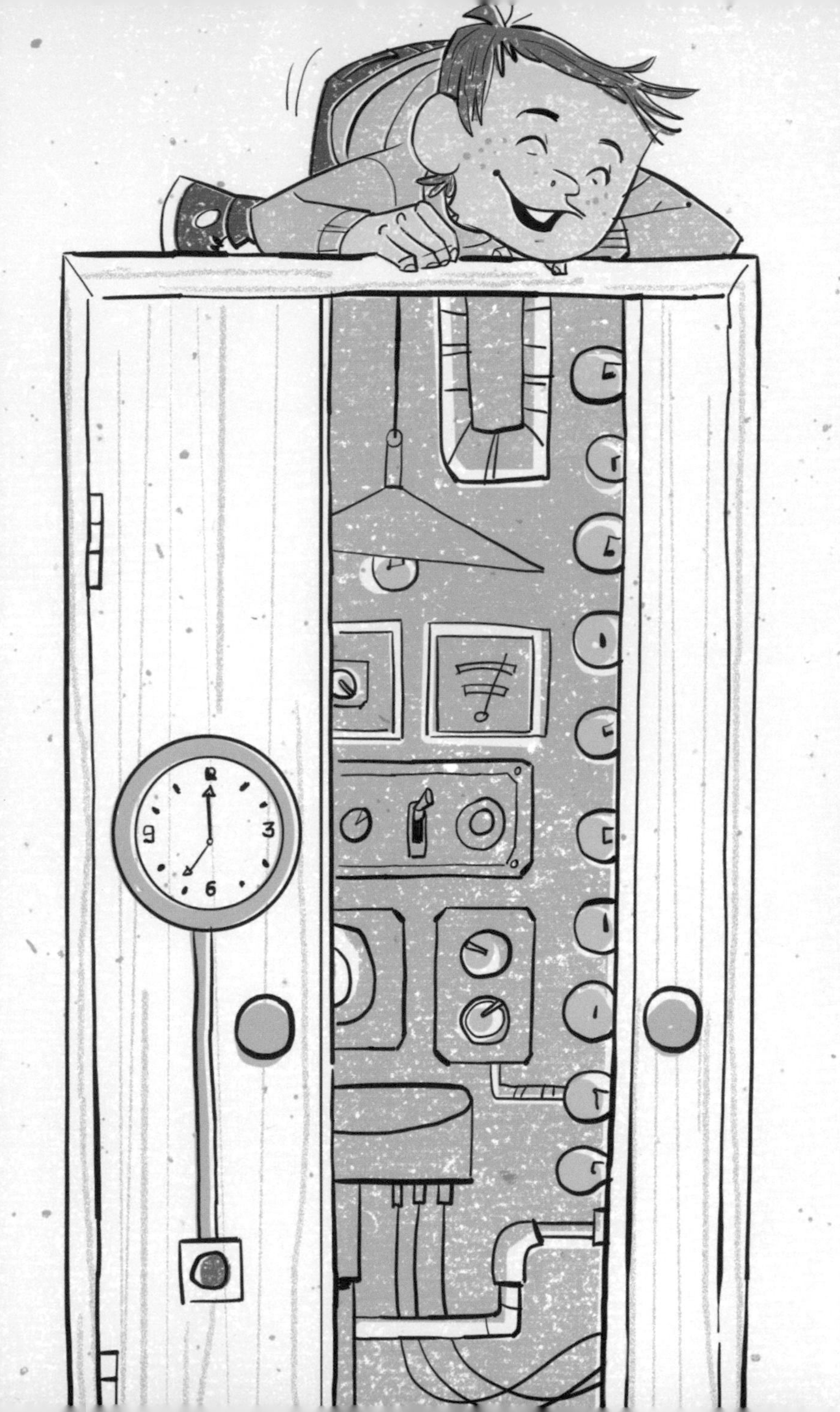

Chaith Jeaic an tráthnóna ar fad ag obair ar an meaisín ama.

'Breathnaigh, a Lúlú,' ar sé, ar deireadh, 'tá sé déanta agam!'

Bhí an meaisín ama sa vardrús. Bhí a lán bolgán agus sreang ceangailte de shuíochán istigh ann. Bhí clog mór ar an doras.

'Táimse chun cuairt a thabhairt ar na Sean-Ghaeil, a Lúlú,' arsa Jeaic. 'Tar liom.'

Is ansin a chuala Lúlú Mamaí ag béicíl thíos staighre.

'Tá súil agam nach bhfuil an madra sin istigh sa teach arís,' ar sí.

Isteach le Lúlú sa vardrús ar luas lasrach.

Bhrúigh Jeaic an cnaipe dearg.

Thosaigh na lámha ar an gclog ag casadh siar.

Thosaigh an vardrús ag luascadh ó thaobh go taobh. Bhí na soilse ag lasadh agus ag múchadh.

Go tobann, stop an vardrús ag corraí. Bhí gach rud an-chiúin. An-chiúin go deo.

'Meas tú an bhfuilimid fós sa seomra codlata?' arsa Jeaic. D'oscail sé an doras go mall agus bhreathnaigh sé amach.

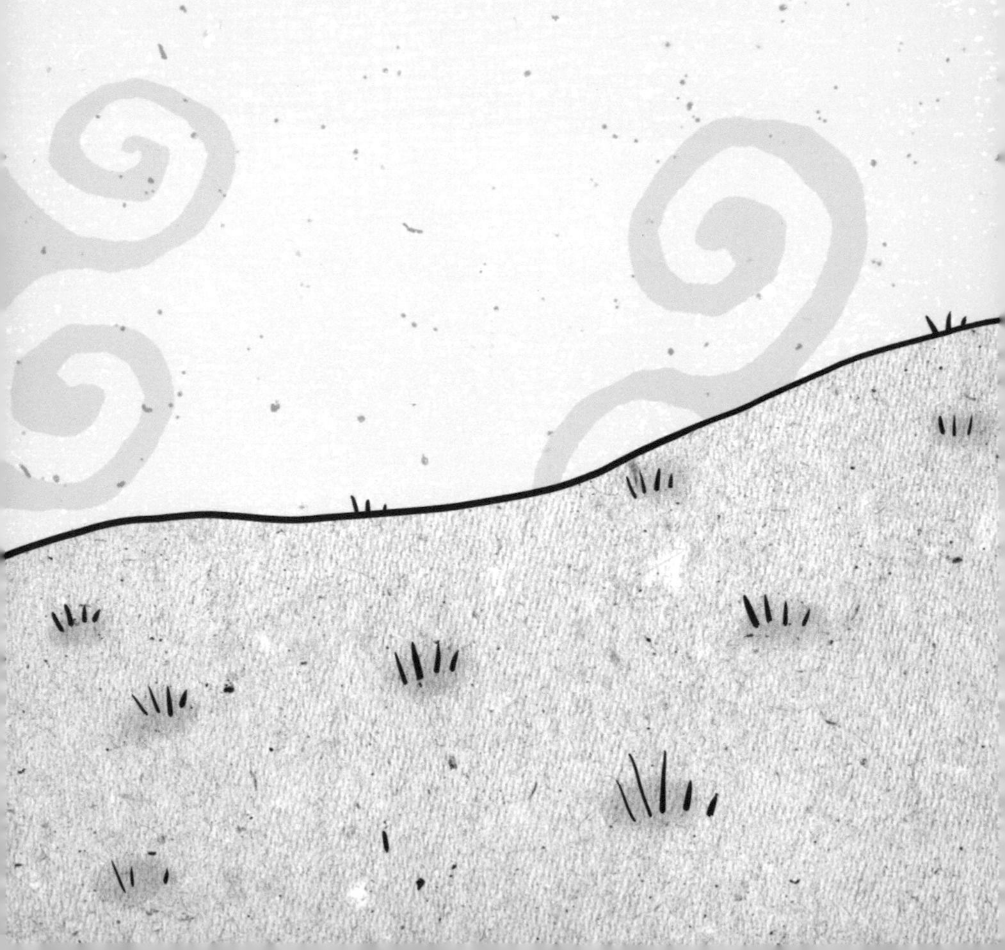

Cá bhfuilimid?

Bhí siad amuigh i lár páirce. Chonaic Jeaic fear ag teacht a raibh gruaig fhada air agus croiméal. Bhí léine fhada air agus clóca a bhí ceangailte le bróiste. Bhí sleá ina láimh aige.

'Sin seanlaoch Gaelach!' arsa Jeaic le Lúlú de chogar.

heah?

Bhreathnaigh Lúlú ar an laoch Gaelach.

Bhreathnaigh sí ar a ghúna aisteach agus ar a chroiméal. Bhí an chuma air go raibh sé fíochmhar agus cantalach.

AAArrrrrrrrrrrrrr

Labhair an fear le Jeaic ach níor thuig Jeaic oiread agus focal uaidh. Go tobann d'ardaigh sé a shleá agus shín sé i dtreo Lúlú í.

'Ó bhó go deo!' arsa Jeaic. 'Maróidh sé thú, a Lúlú!'

É
G
AA

CLING!
CLING!
CLING!
CLING!

Lig an fear béic as, agus bhí sé ar tí a shleá a chaitheamh le Lúlú nuair a thosaigh fón póca Jeaic ag glaoch. Baineadh geit as an bhfear. Bhí eagla an domhain air. D'imigh sé leis ar cosa in airde. D'éalaigh Jeaic agus Lúlú leo isteach sa vardrús.

Cá raibh tú?' arsa Mamaí, nuair a d'fhill Jeaic ar an teach. 'Bhí mé ag glaoch ort. Tá an dinnéar réidh.'

Is ansin a chonaic sí Lúlú. Rug sí greim uirthi agus chiceáil sí amach an doras í.

Bhí Jeaic ina chodladh go sámh an oíche sin nuair a tháinig Mamaí isteach sa seomra. Bhí Lúlú ina luí ag bun na leapa.

'Ná habair go bhfuil tusa istigh arís, a Lúlú!' ar sí de bhéic.

Bhí sí ar tí breith ar Lúlú nuair a thug sí an vardrús faoi deara.

Bhí an doras ar oscailt. Chonaic sí an suíochán agus na soilse agus an clog.

'Céard é sin, in ainm Dé?' ar sí.

Isteach sa vardrús le Mamaí agus shuigh sí ar an suíochán. Bhrúigh Lúlú an cnaipe dearg agus dhún sí an doras....

... Agus ar ais le Lúlú ar an leaba.

Dhúisigh Jeaic de phreab i lár na hoíche. Chuala sé torann aisteach sa seomra. Anonn leis go dtí an vardrús agus d'oscail sé an doras go mall.

Cé a bhí ar an suíochán ach Mamaí agus í ag crith le heagla! Bhí sleá ina láimh aici. Bhí fuil ar an tsleá!

'Ó bhó go deo!' arsa Jeaic. 'Ná habair go raibh Mamaí ag troid leis na sean-Ghaeil!'

'Déarfainn go raibh an bua ag Mamaí,' arsa Lúlú léi féin.

Céard a tharla do Mhamaí sa mheaisín ama? An raibh sí ag troid leis na sean-Ghaeil? Níl a fhios ag aon duine. Tá Mamaí chomh scanraithe ó tháinig sí ar ais nár oscail sí a béal ó shin.

Táim sna Flaithis... Saol ciúin faoi dheireadh!

Deir na Gardaí go bhfuil robálaí sa cheantar. Tá Daidí agus Mamaí ag iarraidh fáil réidh le Lúlú, agus madra faire a cheannach ina háit. Ach tá plean níos fearr ag Jeaic. Déanfaidh sé róbat mór a bhéarfaidh ar an robálaí. Ach níl Mamaí agus Daidí róchinnte faoi sin!

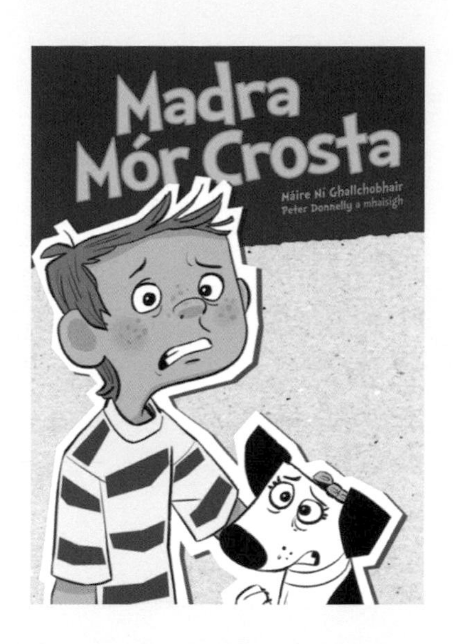

Tá Lúlú i dtrioblóid. Tá rótvaidhléir mór crosta ag an gcomharsa bhéal dorais, agus tá Lúlú scanraithe roimhe. Ach tá leigheas an scéil ag Jeaic. Má mheascann sé na ceimicí cearta beidh sé in ann deoch speisialta a dhéanamh do Lulú — agus í a dhéanamh mór millteach!

Ciúnas sa Leabharlann

Téann rang Lúsaí go dtí an leabharlann.

'Tógaigí leabhar an duine,' arsa an mháistreás, 'agus bígí ciúin.'

Ach an mbeidh gach duine ciúin?

Mamó agus an Phearóid

Tá Lúsaí agus a cara Caoimhe ar cuairt ar Mhamó. Thug siad leo a gcuid bróga scátála.

'Níl cead scátáil sa teach,' arsa Mamó.

Ach tá pleananna eile ag Lúsaí.

Amadán Aibreáin

Tá Lúsaí an-sásta inniu. An chéad lá de mhí Aibreáin atá ann.

'Lá na nAmadán,' arsa Lúsaí.

'Beidh an-spraoi againn inniu!'

Níl Cead Snámh sa Loch

Tá rang Lúsaí ar shiúlóid dúlra inniu.

'Fanaigí amach ón uisce,' arsa an maor coille leo. 'Níl cead snámh sa loch.'

Ach an bhfanfaidh gach duine amach ón uisce?

Luch sa Rang

Thug Bean de Róiste luch ar scoil.

'Beidh spraoi agam anois,' arsa Lúsaí. D'oscail sí an cás agus chuir sí an luch isteach ina póca.

Ach ní hí Lúsaí amháin atá in ann cleas a imirt.

Cuairt ar an bhFeirm

Tá rang Lúsaí ar cuairt ar an bhfeirm inniu. Tá cuma uaigneach ar an tarbh sa pháirc. Osclaíonn Lúsaí an geata dó. Is gearr go mbeidh sé ina raic!